U0064430

劉福春・李怡 主編

民國文學珍稀文獻集成

第三輯

新詩舊集影印叢編　第97冊

【于賡虞卷】

世紀的臉

上海：北新書局 1934 年 6 月初版

于賡虞　著

花木蘭文化事業有限公司

國家圖書館出版品預行編目資料

世紀的臉／于賡虞　著 — 初版 — 新北市：花木蘭文化事業有限公司，2021〔民110〕

178面；19×26公分

（民國文學珍稀文獻集成・第三輯・新詩舊集影印叢編　第97冊）

ISBN 978-986-518-473-5（套書精裝）

831.8　　10010193

ISBN-978-986-518-473-5

民國文學珍稀文獻集成・第三輯・新詩舊集影印叢編（86-120冊）

第97冊

世紀的臉

著　者　于賡虞
主　編　劉福春、李怡
企　劃　四川大學中國詩歌研究院
　　　　四川大學大文學學派
總編輯　杜潔祥
副總編輯　楊嘉樂
編　輯　許郁翎、張雅淋、潘玟靜　美術編輯　陳逸婷
出　版　花木蘭文化事業有限公司
社　長　高小娟
聯絡地址　235 新北市中和區中安街七二號十三樓
　　　　電話：02-2923-1455／傳真：02-2923-1452
網　址　http://www.huamulan.tw 信箱 service@huamulans.com
印　刷　普羅文化出版廣告事業
初　版　2021年8月
定　價　第三輯86-120冊（精裝）新台幣88,000元　

世紀的臉

于賡虞 著

北新書局（上海）一九三四年六月初版。原書三十二開。

世紀的臉
于賡虞作
北新版
——1934——

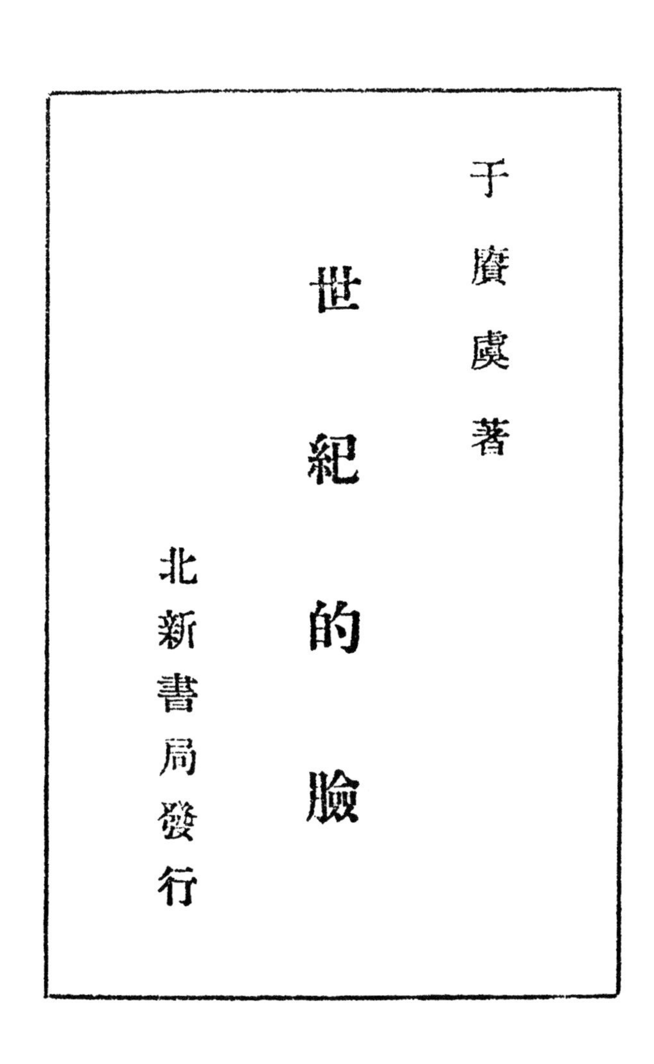

于賡虞著

世紀的臉

北新書局發行

本書著者其他著譯

(一) 晨曦之前(詩集) 北新
(二) 魔鬼的舞蹈(散文詩集) 北新
(三) 骷髏上的薔薇(詩集，絕版) 古城
(四) 落花夢(詩集) 北新
(五) 孤靈(散文詩集) 北新
(六) 劍與淚(詩集，未印)
(七) 詩之藝術(詩論集，卽印)
(八) 雪萊詩集(譯詩，卽印)

目錄

世紀的臉

目錄

世紀的臉

4

序語

平凡如我，出了四五册所謂詩，是自己所未曾做過的夢。擺在面前的人生之路，何止億萬條，終於皈依詩神的座前，自己也覺得難解。也許，這四五册詩就糟踏了詩之名，詩神的寶座因我已減了光輝。因有此疑慮，所以，要破例爲世紀的臉寫序，錄下自己的供狀。

我最初對於詩有點糢糊的概念，而且也寫點所謂詩，是在「五四」運動的時候。那時前，不但對於中國的詩詞沒有研究，對於西洋的詩連影子也沒有。這，在此刻的所謂詩人，那些自命五六歲時卽與詩有緣的天才者看來，我是不能再平凡了。然而，事實上我並沒有那些近乎虛妄的奇談，所以，也只得由人「專美」，只得由人譏笑了。

不久，到天津，認識趙景深，焦菊隱，這才真正引起了寫詩的興趣。那時，我心裏生了不少的幻想，雖則在極艱難痛慘的生活裏，面前總浮着一個微笑的理想。這微笑的理想，現在想來，並沒有欺騙我。那時，詩壇上有幾位頗受盛大歡迎的人物，但他們的詩作的草率，正與他們所受的歡迎相等。所以，我只潛心讀着歐美各巨人的作品與傳記，竭力搜求西洋論詩的專著，那時想，縱然不能成一位詩人，也要將自己訓練成一個懂得詩的人。因自己受了社會慘酷的迫害，生活極度的不安，所以，雖然是同樣的草原，同樣的月色，同樣的山水，我把別人對它們歌讚的情調，都抹上了一片暗雲。又因自己始終認詩是一種藝術，所以，在寫詩時，不與流行的寫法相同，不但在文字上有所選擇，而且在形式上亦頗注意整飾，一個孤獨的人與社會流行的風氣相抗，因無絕對的信心，所以免不了懷疑。一個無名的人，投稿到北京晨報文學旬刊，居然每次都招了青睞，這，堅定了個人的自信，同時從心裏感激着王劍三。

大概是民國十三年，起始住在北京。北京，中國文化會萃的地方，在學問上，有着嚴肅的風氣。他將我青年人所富於的誇大，虛榮，不真誠等惡習，都洗刷了。世界是如此之大，人物是如此之多，我沈默了。並且由於自己的不善言談，所以，就幾乎變成了一個孤獨的人。孤獨！在孤獨裏生活，在孤獨裏思索，撫摸着從社會碰來的滿頭血水，寫着自己的詩。這時候，由於買書的便利，對於西洋詩人的集子，論詩的書物，算是得到了一時的飽看。經驗及學問告訴我：作詩，應有個人獨特的情調與風格；論詩，應有「一段千古不可磨滅之見」。作詩是根據個人的心，詩就是生命；論詩乃根據個人的識見，乃關於思想。有的人對於詩有了洞見，往往再也不敢下筆；有的人因有洞見，才能寫出更好的詩。試讀雪萊的詩之辯護，E.A.Poo的文章哲學，Keats的書信，他們在主張上雖則不同，但他們的話比所謂詩學原理，詩學概論一類泛泛的空話精妙多了。看了古來詩壇上那些將星的著作，更堅定了詩是生命的藝術的創造之信念。自己雖然知道屬於俗人，沒有詩骨，然而，有的是悲慘的生活，苦悶的思想，所以，這時候，仍然還寫着所謂詩。

是十四年的秋天，認識了徐志摩，在燕京大學的一個小房間裏。徐志摩是聞人，他的詩正與他的爲人相合，很輕快。就至十五年的春天，認識劉夢葦，因而又認識朱湘，聞一多。就在這年的春天，在中國詩壇上放了異彩的詩刊出現了。「五四」以後，這之前，中國的「新詩」，沒有嚴肅的氣魂，沒有藝術的鍛鍊，任何人都可以寫詩，所以好詩還只是一頁白紙。詩刊的六七個作者，意識的揭起詩乃藝術的旗幟，在音節，形式上極力講求。在詩刊作者的讀詩會裏，聽到了抑揚緩急的聲音，看到了詩體謹嚴的計劃，但是，不曾有過詩人生活的敍述。詩刊所表現的，正如讀詩會所計議的一樣，在形式上給讀者一個刺激，給其他作者一個思考的機會。從此，使一般作者，知道寫詩非易事，知道形式在詩上的美的成分：這是詩刊唯一的功績。

詩刊，不但使人了解形式是一個嚴重的問題，且使人益覺內在生命表現的必要。詩乃生之律動與形式之美的總合。徒求形式之工整，而忽略動的生命之表露，乃死的藝術；只求生命之流露，而忽略美的形式之營造，亦非完美的藝術。當時詩刊的作者，無可諱言的，只銳意求外形之工整與新奇，而忽略了最重要的內容之充實，即如有所表現，也不過如蜻蜓點水似的，未留深的印痕。作詩，到幾乎無所表現的時候，那詩就使人無從捉摸。中外詩史上最靈活的人物，是由於他們所表現的情思呢？還是單由於形式之創製？在讀詩會裏，在詩刊上，都引起了我這樣的疑問。又因在那些朋友中，說我的情調未免過於感傷，而感傷無論是否出自內心，就是不健康的情調，就是無病呻吟，所以，使我於沈思之餘，益覺個人在生活上，在詩上，是一個孤獨的人。大概在詩刊出了六七期以後，我就同它絕了緣。

以後，沒有在任何團體名義之下活動過，只沈在更孤獨的處境裏。從十六年起，在個人的生活上，雖因教書而不甚自由，但還繼續着往日的情調，寫了不少的所謂詩。到十八年底，

世紀的臉

除晨曦之前在十五年出版不計外，共出了骷髏上的薔薇，落花夢，魔鬼的舞蹈，孤靈等四集，還有四十首左右已發表而未整理的劍與淚一集。這時的詩，大概是在人生上所見到的「魔慾」超過了「神思」，生活裏只有陰雲而沒有白日，所以，晨曦之前集子裏偶而顯現的希望都消滅了。以上幾集，顯然的，可以歸作兩類：韻詩，散文詩。關於普通的詩不論，因散文詩的理論太少，所以順便說一說我的意見。散文詩，至寫此文爲止，在中國的文壇上還未多見，不但中國如此，各國都是一樣•法國的博德萊，俄國的屠格涅夫，印度的泰戈爾，都有專集。他們在情思上，雖然所表現者不同，但幾乎同用日常的散文。他們的作品，自然以偏於情思者居多，但有詩只表白思想，與平常

8

的散文無殊，對此，我認爲不是美滿的散文詩。對於散文詩，我一向抱着這樣的意見：在情思上，散文詩介乎感情與思想之間，而偏乎思想；在文字上，散文詩介乎詩辭與散文之間，而偏乎散文。所謂偏乎思想與散文者，仍含有詩之感情與詩之辭藻，不過思想與散文的成分較多耳。詩與散文詩最大的區別，就在作散文詩者，在文字上有充分運用的自由（不受音律的限制），在想思上有更深刻表現的機會（不完全屬於感了）。但散文詩寫到絕技時，仍能將思想溶化在感情裏，在字裏行間蘊藏着和諧的音節。因此，我們可以說，散文詩乃以美的近於詩辭的散文，表現人類更深邃的情思。抱着這樣的理想，我寫了魔鬼的舞蹈及孤靈。魔鬼的舞蹈可以說是爲寫孤靈的練習，然而，孤靈也並未達到這種理想。

十七八年正是中國普羅文學運動達到最高潮的時期，作上海一大部分寫詩的人都轉變了，均以某種意識形態作骨髓寫着所謂詩。在那個狂浪裏：將詩刊的努力洗滌淨盡，他們所用的文辭，比「五四」期間更爲大胆。那結果，不但使人忘記詩是藝術，且使情調也披上了虛僞的外衣。詩不但是眞實的生活，且具藝術的氣質，無論何種生之情思，以藝術的本相表現出來都是詩。這狂潮，給我一個沈思的機會，且幾乎將我壓死，但我決沒有懺悔的心情。結果，我沈默了，整二年之久，沒有寫過一行詩。那時候，有點故意不寫的道理，於其說是受了那狂潮的影響，不如說是發現往日自己所寫的詩之弱點而不願再寫。我發現了往日所寫的詩，幾乎是在一種情調之下，變換着字眼，所以再寫也是徒然的工作。我想只有在生活經驗，思想認識來自然開拓詩之領域。那時想，詩旣爲藝術，每首詩自應有其獨特的聲音，顏色，給人以不同的印象。這種詩之所以能作出來，乃在作者的感情與思想結根於生活，從心裏感，從心裏歌，只有在那境地，那時間才能有那種詩，如此，不但各個詩人自異其情調，卽同一詩人亦將免去重複的表現。因爲將詩藝看得過分嚴重，所以有二年之久未寫詩，然而，詩並沒有從心裏死去。

果然在二十年冬又起始寫詩，到現在共寫二十幾首，就是如今所收集的世紀的臉。這集詩，完全是個人的心血，從筆下一滴一滴的滲入白紙。因爲尊重情思，所以寫時任它自由的流動；因爲尊重藝術，所以修改時費盡了的苦心。使用詩的這些形式，最大的危險是容易失去自然之美，而自然正是詩的美點之一，倘讀起來不順口，即失了詩的魅力。一多所謂「帶着鐐銬跳舞」才是天才的本領，倘把它解爲作詩不易，作者應有嚴重的態度，就很對，否則，要知那製作鐐銬的沈約自己，也未嘗寫出出色的好詩。我每次修改詩的時候，竭力使其字與字，句與句，節與節成一整體的和諧。而且於作成後，又常請人去讀，指出不調利的所在，再設法改正。雖然如此鄭重，仍難免不自然之病，這，只有待以後的努力。對於這集詩，我比較的滿意之點，即各詩似乎有了獨自的意境。前，景深謂我的詩一潮濕」，從文說我的詩「陰暗」，還有人在某書上說我是中國惡魔派云云，這，我無從辯解。倘若朋友們看了劍與淚，世紀的臉，也許他們會疑我不曾在太陽以下生活過，不知道人間有享樂的幸福，然而，這正是我的生活。還有那些譏笑我過於感傷，沒有「健康」情調的人，也就無異于說我抹了詩神一鼻子灰，這，也用得着懺悔嗎？平凡的人只有一個不聰明的孤獨。

最後，我感謝鼎洛為世紀的臉費心畫精美的插圖。

二十三年六月

世 紀 的 臉

14

希望的詰誡

我曾想把生命毀滅與人世訣別，
不再看枯萎的花朵，彩雲的幻滅；
但希望在雲蒼却向我遨遨遙望，
譏笑我向暗壁碰首爲無端發狂！

世紀的臉

『幸福是一個大謊，地獄才是天堂，
試想，古來誰不把苦水當作甘觴？
待生命之酒瓶點點滴滴的流罄，
你就會明白了人生，你就會吃驚！

『我並不把人們欺騙，也並非誹謗，
只因爲你無智勇走向我的面前；
古來偉大的英雄都曾經過戰爭，
他們的心胸也都有巨大的創痕！

2

『待你那怯弱的靈魂被虫蛆吞淨，
你就會看見活的蛟龍，兇猛的鷹；
待你被少女遺棄，淫慾不在心胸，
你就會明白眞的人生，眞的愛情！

『倘怯弱與自私結伴你一直到死，
所有你的生命都是難救的病疵！
你應把舊的遺棄，將新的來呼吸，
以秋露爲飲，以飛雲作你的翅翼。

『然後你再從雲端向下窺探人寰，
就會看見各色迷離悲絕的盛宴！
我正屬於萬有，我正如你那醇酒，
你的新的宇宙就將我當作錦繡。』

『我常被那些無知的人咒詛辱罵，
有人說我是娼妓，有的說是野馬，
其實我只是一種雄心，一種真理，
只給那些有生命的人開放蕾蒂。』

我沈於夢一般的思量，這種聲響，
乃是天帝的啓示，凡人不能分享；
於是我抬頭遠看，希望早已不見，
但心頭已充滿了狂歡，再無哀怨！

青春

塵世的飄泊似一短夢，
從來未聽洪妙的晨鐘。
回想已經過去的時辰，
身軀，靈魂生遍了虮虫！

青春

如今，我並不向天懺悔，
也不再流頹敗的眼淚。
我不能永遠捉住春光，
秋亦不能捉住我不放。

山川草木並沒有常態，
風雲雨露也沒有恆則，
誰說美人不化爲灰塵？
誰說宮殿能永久長存？

世紀的臉

人世既是這樣的幻變，
自然亦不能將我欺騙。
只有面前那莊嚴的神，
握着永恆美好的青春。

他正微笑的向我招手：
『青春就是人生的美酒，
只要你能永遠的沈醉，
終能採得天上的月桂。

8

春 青

『生命是一個大的冒險，
不易有歡樂，光明出現。
只要你不向魔鬼低首，
而前就有金色的宇宙。

『試看古來偉大的詩人，
誰曾背叛了光明之神？
雖然受了皮鞭的痛打，
但墓頭却開遍了鮮花！』

世紀的臉

他將我從苦夢裏驚醒，
見朝陽正在花枝歌詠；
並使我死的幻想復活，
見天上正有玫雲飛泊。

我與你，人類呀，都在受
着試探，看你往何處走：
一個是最燦爛的天堂，
一個就是魔鬼的屠場！

10

DR.1923

青春

你雖將利祿帶進墳墓，
而生命却如飛的瀑布，
倘若你是比較的聰敏，
就該向愛人接個長吻。

美人給你絕大的力量，
她會使地獄變作天堂；
倘生命無有美的顏色，
她會爲你塗繪上光澤。

世紀的臉

倘若你有更大的雄心，
可以將舊的天地洗淨。
無論是百靈或是鴞鳥，
都讓他們自由的說教。

使萬物各自就了本位，
即是你的絕大的光輝。
雖人世仍舊滿佈陷阱，
只待你把這黑穴填平。

12

至於那藝瀆生命的人，
因爲罪惡才賣了靈魂；
他們不知道天高地厚，
猶如危牆苦上的蝸牛。

縱然能多經幾個春秋，
也不過是時間的苦囚！
待心燈隨着春光漸滅，
屍身就擲於漫漫黑夜！

世紀的臉

人死後都作無知的鬼，
生命才是朵美的玫瑰，
試看古來艱苦的藝人，
誰不珍愛他們的靑春？

靑春就是愛，
就是熱，就是光明，
就是眞的生命。
他使你看見高天闊海，
他還爲太陽加添光澤。

14

青春

讓青春作了你的情人，
任時間去不住的飛奔，
到落霞反映西天時候，
你已到了人生的盡頭。

就在那個最後的時辰，
你會有最偉大的歡欣，
明月照耀着你的屍體，
香花爲你開遍了墓地。

感謝辭

感謝天賦予我靈與肉，
雖受痛苦亦得了幸福。
眼睛看見自然的美景，
也曾看見頹敗的古城。

感謝辭

雙耳聽到了山風，海韻，
也聽到了棄婦的呻吟。
人世乃一絕妙的戲曲，
你看，有天堂也有地獄。

在這世界你不必張惶，
白天有太陽，晚有月光，
只要你有沈醉的心境，
美夢一定會伴你永終。

感謝辭

雖然她是無情的妓女，
請把她當作一塊美玉；
雖然烏鴉是不祥之鳥，
但他領了上帝的指教。

你不見毒蛇尙戲青蛙，
即枯樹也會發出嫩芽。
在這宇宙美麗的花園，
即惡草也有牠的鮮艷。

放開眼睛看一切生命，
從惡魔也會看到神聖。
倘恨惡迷了你的雙眼，
你就看不出天晴，天暗。

你應以美的音調歌唱，
它將隨大氣瀰漫四方，
使聾的能聽，啞的說話，
就是人生唯一的光華。

至於因爲說人生朝露，
就服仙丹才算胡塗，
倘今朝你能對花把盞，
還要問什麼夕陽天晚？

並勿向死者掉下眼淚，
遲早你和他還要相會。
我們步步向死亡走近，
勿忘在面前還有愛神。

世紀的臉

今天，我打開生命之門，
請你在裏邊任意逡巡；
倘若你採得一花半草，
就會發出感謝的歌嘯。

決絕辭

猛烈的寒風使我震驚，
滿頭的血水使我清醒，
注視着高不可攀的明月，
只覺一陣清新，一陣淒絕！

人生是天帝莊嚴的藝術，
但我們却把他看作泥土，
無有鮮花亦無有芳香，
希望與理想早已夭殤！

鐵鍊緊鋼着我的身心，
毒蛇把我的血液吸吮，
我怎能向寒風求得同情，
流水亦不注意我的傷痛！

DR.1923

決絕辭

到人間原來如一陣清風，
冬的落梅猶如春的殘紅，
待你走到死神的面前，
一切都化作一陣飛煙！

你無須認眞把我愛憐，
往日的理想成了夢幻，
我不能乘長風破萬里浪，
何來美德使我走進天堂！

你更無須認眞把我忌恨，
我只是天空的一片流雲，
走遍天涯沒有我的家，
因已種下淪落的根芽！

萬一你覺得我還可愛，
就應超渡我出此苦海，
不要恩愛只需一分同情，
我的前途就會現出光明！

決絕辭

憑了愛之名我忍受苦難，
曾把最悽豔的調兒撥彈，
現在我成了盲人瞎馬，
黯霧遮了太陽的光華。

如今，春與冬沒有兩樣，
我愁如密雲，淚似大江，
因此，我想生命是太長久，
豈能不對於它發出詛咒！

世紀的臉

神啊，愛情本是我的米粮，
但如今却變作毒藥一樣，
這情境我如再能容忍，
除非我的心化作灰燼！

28

愛的力量

我捉住一個大夢不肯放鬆，
勇敢的以全生命發出讚頌；
從日出到日落，說也奇怪，
居然得到了美人的靑睞。

世紀的臉

那雙眼猶如月一般清明，
對於我似是巨洋間的海燈；
那榴紅的口唇宛如朝陽，
使我辨明黑暗，光明的方向。

那語言就是宇宙的韻律，
含蘊着無限神奇的風趣；
那步態似天使媚人的妙舞，
對於她，人們都發出了歡呼。

30

量力的愛

在她面前你會自然低首，
你的迷醉猶如喝多了美酒；
倘若你患了不起的癱病，
她的命令就能夠使你跳動。

作愛的俘擄就是一個驕傲，
過了今宵就不再想明朝；
記住：明天落花就許遍地，
你的身軀也許就變作污泥！

病中的幻想

我歡呼這偉大時間的來臨，
人間的痛苦將變作歡欣，
既不再向夕陽傷心的招手，
也不在月夜含淚的飲酒。

病中的幻想

在這世界我已十分疲倦，
除了生老病死還有何眷戀？
縱然你有十分閒散的心，
也會看厭這蛆虫般的戰陣。

雖然我曾爬過最高的青山，
但只見彩雲無語在天邊；
雖然我也聽過巨海的狂嘯，
但只見遊客的微笑，憂憔！

世紀的臉

自然美的幻變我已看厭，
因爲她的美妙也有着極限；
即太陽的光熱，月的明媚，
也將會如春花一樣的憔悴。

我們都曾抱過絕大的幻想，
但生之世界裏並無仙鄉。
黑暗正在一天一天的加重，
人類與希望將同進荒塚。

病中的幻想

現在我的船將航進死港，
只覺有無限光明，無限歡狂。
我將到另一新奇的世界，
把名譽及傷心遠遺於塵埃。

卽如是愛情我亦不再顧盼，
那毒藥曾使人神魂迷亂；
雖然幸福之明燈被她支撐，
但她就是飲不盡的苦漿。

若那國度是無限的美妙，
我願伴着流雲在那里逍遙；
也許那眞是黃金的宇宙，
生活都在美的變換裏消受。

有時我可以乘着太陽遨遊，
有時結伴月神共酌美酒，
至於那些豔美無倫的天仙，
也都將歌舞在我的面前。

世紀的臉

我不必枉費點點的心願，
在面前就有數不盡的夢幻，
光明世界就在我的週身，
我的芳鄰就是豔麗的愛神。

啊，在那里我只願活他一天，
一天就勝過人世的萬年！
即如那人間最幸福的詩人，
他也沒有這幸運的時辰。

病中的幻想

但恐這又是人類的願望,
所謂天堂並不是那樣輝煌;
因那里也有無知的聖徒,
上帝亦不是無偏心的明主。

你不見亞當與夏娃的子孫:
有的是聰明,有的是愚蠢,
有的是伴嬌妻於金屋大廈,
有的孤零的淪落於天涯!

病中的幻想

於是我將夢仍移植人間，
微笑的看人世舞台的變換。
寧願將苦水當作了甘觴，
也不再希望走進什麼天堂！

祈禱

在這滿身痛苦的屍身之前，
我向天神作懺悔的祈禱。
現在雖然星月依然高照，
梅在開，川在流，眼淚在飛濺，

但是他這流浪一世的孤人，
業已緊閉了倦怠的雙睛。
『天啊，這最後一刻的寧靜，
請勿使烏鴉再擾他的悲魂。

『如今他遺下這最後的屍體，
他曾說，就是絕大的不幸。
他願離開人世不留蹤影，
不佔一片蛇鼠出入的濕地！

『他生來並不是如此的自卑，
他曾想摘下天上的太陽，
遨遊月宮發現美的珍藏，
他的雄心並不比青雲還低。

『不過他比常人多一些幻夢，
所以覺着人世過於平淡，
一切戲劇早已使他看厭，
因此他就過着飄泊的運命。

「他抱着夢遊遍了山海，古城，
本想尋求那宇宙的奇蹟，
不料江的波流，野雲的飛，
又使他看破了人世的大夢。

「由此永恆的流變看到嚴肅，
鮮花，翠鳥不再使他微笑，
摩天的高峯他覺得渺少，
美人，骷髏也不過一齣短劇。

世紀的臉

『他就以骷髏當作日常飲器，
　這使他感到人生的美好，
　並使他的不蘇醒的煩惱，
變作朝霞與夕陽一般豔麗。

『他說人生不過如一陣清風，
　只要有一種崇高的沈醉，
　無須低泣那殘秋的夢寐，
更不必怕將身軀喂了蛆虫！

46

『因此他對於不幸並不怨恨，
　在人間他雖如一隻夜鶯，
　棲遍了枯枝，啼遍了落紅，
但是他仍將美夢寄於靑雲。

『天啊，請勿以常理將他懲罰，
　他並不愛好毒蛇與蛆虫，
　只因他另外有一份心胸，
所以就像是野人，無天，無法！

世紀的臉

『你也應更換眼光來看人生，
天地無千秋萬歲的準則，
猶如那蒼空幻變的雲彩，
你不能將它鑄成一種模型。

『他有他的心靈，有他的自由，
勿錯怪他尋求地上天堂，
他手捉夕陽也不算瘋狂，
光明的理想就是他的醇酒。

『但是他並未見到美的理想，
週身却遭了無數的鞭痕，
他不說這是上帝的不仁，
因爲那理想並未受到創痕。

『他寧願徘徊地獄不進天堂，
因地獄比天堂更有生命；
他活了一生未露過笑容，
幸福，光明終如煙一般蒼茫。

世紀的臉

『從此他結束了冒險的旅程，
人間少一個壯美的靈魂，
再無怪的思想震驚世人，
他去了，死得是如此的無名。

『倘若你把他當作罪惡之流，
他情願負起反叛的罪名；
倘眞置他於地獄的苦境，
他就把你當作知心的好友』。

現在我一方爲他向天懺悔，
一方在編製高貴的花圈。
不論神靈將怎樣的判斷，
我正落着自慚形穢的眼淚！

初秋

這世界有說不盡的喜悅，
你爲什麼那樣的悲絕？
雖然落花，敗葉已經遍地，
也應讚歎彩雲的奇麗。

初秋

你聽那無憂慮的蟬聲，
看那自尋安樂窩的飛鴻，
雖然飛絮緊貼到鬢角，
這長天還不是一樣清闊！

眼前有的是皎媚的月光，
明天還有燦爛的太陽，
且酌下面前這一杯好酒，
好去各處看山色，水流。

誰說日月能永遠光亮?
這地球更不會永不凋償,
只要你爲我唱支輕歌,
我就有在天堂般的快樂。

秋思

再不必猜這一個大謎，
你曾祈求過上蒼，
也曾追問過夕陽，
如今更覺得無有邊際。

世紀的臉

你不妨一眼望澈秋天，
　由他那一片蕭殺，
想到明年的艷花，——
誰知過今年還有明年？

忍心噙住那一泓眼淚，
　不要向命運示弱。
只管把好酒頻酌，
任夕陽殘月輪流西墜。

到了你我撒手的時候，
不必再盼望明朝，
只餘有相視而笑，
因那就是人生的盡頭，

夜吟

病魔在我的心頭哽咽，
蟋蟀在寒階之下悲吟，
我悄悄的踱到院宇，
只見星月葬埋於烏雲。

吟夜

古樹及花草還在夢中，
足音襯出死般的幽靜，
鬼影忽在面前閃現，
前邊傳來嬰兒的哭聲。

古往今來似一個大夢，
淚與吻即整個的人生，
不堪想已逝的蹤跡，
愁恨宛似摩天的高峯。

世紀的臉

倘若這世界還有黎明，
倘若不把我喂了蛆虫，
我向夜神發個深誓，
要乘着太陽遊遍奇景！

生之相

領港人！我再也不堪忍耐，
朝霞，夕陽，全都失了光彩。
我已不辨歌泣，不辨方向，
只向神焚了最後一柱香。

世紀的臉

對星月我喝聲最後的采，
因我已難長久在此徘徊。
如今我把記憶付於長風，
希望亦隨秋葉飄除無蹤。

任撤且再揚起他的長鞭，
我也難比現在變得更慘。
分明我對一切起了懷疑，
即愛的温存也看作毒計。

62

從春到秋我己覺得太久，
遍山遍海都佈滿了哀愁，
想上帝再無有新的把戲，
願太陽也不必爲我遲疑。

我再不想那理想的勝境，
如一天窗，如一萬花寶鏡，
能給我超乎人世的歡樂，
因現在我只有死的寂寞。

世紀的臉

因我曾對一切用眼傻看，
不管它是珠寶或是花片，
結果都像無鼻骨的骷髏，
那陷坑裝滿人類的希求。

自然聰明人比較我靈敏，
但是他也難將虮變作神。
或者他另外有一種眼光，
將地獄就當作人世天堂。

64

唉，可惜我只有笨拙的眼，
不能將醜惡往好處幻變。
所以我只該用苦酒之瓶，
在裏邊裝下了我的生命。

生命像是黑夜的一陣風，
吹過沙漠，絕壁，吹到荒塚。
光明只一片小小的燐火，
在蒼涼黑暗裏忽然飛過。

我曾向天神伸出過雙手，
但只摸着了鮮血，那祈求
像是刺蝟正在脚前蠢動，
又像死屍前微明的燈影。

斯時，我的夢已慢慢殘敗，
任骷髏證明這一場巨災！
我從此就可以閉了雙眼，
不想，不看，也不再有悲嘆！

這一切使我流歡欣之淚，
我脫了上帝給我的累贅！
地球縱再有萬年的壽限，
我也不願意再苟活一年。

請不必遲疑，我的領港人，
請邁步快快向死神走近，
他已張開雙臂向我點頭，
爲了快，江海都止了洪流。

世紀的臉

現在我的心感到了歡狂，
雷雨，災難，只在背後徬徨；
除了我遍身可怕的鮮血，
一切都已在幸福裏安歇。

夜鳥吟

夜半，雲中那聲聲鳥音，
悠揚，寒慘，如絕望之琴，
她緩緩的彈與月光，
述說心中不幸的悲恨！

世紀的臉

天知道，那悠微的嘆息，
含着怎樣久遠的孤寂，
像一座荒凉的古山，
終世不曾有一個伴侶！

試想，夜半天空的廣寒，
雖在雲霧霜露裏呼喚，
（好像是棄婦的絕叫）
但天堂的門還在緊關！

70

夜鳥吟

白天，她也許落於平沙，
古壘，巨林，但是她的家
是在白晝裏的荒山，
還是在黑夜裏的天涯？

也許她就是神鏝的鳥，
故意到處飛遊與慘叫，
使飲恨的人們明白，
人世並無到天堂的橋！

在她眼中的沙粒，彗星，
一根枯骨，就是一個驚
異，奇絕難懂的世界，
（人類數千萬年的夢境。）

這先知如同一位隱士，
白天隱於深山或清池，
到夜晚才來到人間，
張開她的嘴，她的雙翅。

天無語，夜亦正在行走，
直到宇宙走到了盡頭，
她才肯停住了嗓子，
咽下了那無邊的哀愁！

世紀的臉

不必到鬚眉斑白時節，
我已看夠人世的浩刼。
從上帝登了他的寶座，
他就鑄下了一個大錯。

因他給人神思與魔慾，
所以就到處演着悲劇。
就從上帝造人的時候，
罪惡即已在人心狂吼。

他遺下一個神人耶蘇，
帶着愛的光與人同住。
傳教於山巔明月之下，
終以鮮血染了十字架。

淫慾在少女髮上舞蹈，
老媼在深宵感到煩燥。
太陽比不了那股狂熱，
所以在罪惡之河奔涉。

有時雖對着明月歌唱，
但可想那是什麼愁悵。
倘把她獨自鎖在深山，
她就不再轉媚人之眼。

至於貪財好名的男人，
那罪惡更比山高，海深。
在夢裏他還百般計算，
早已把羞辱擲到雲端。

倘能得女人，金錢，美酒，
他就再不向高處追求。
因此雖遍身血跡，在牢
獄裏，他還是滿臉微笑。

請瞧這人間玩的把戲，
聖人摟抱着美的妓女，
陰毒挺着臂遊於街市，
長蛇自由在神堂奔馳。

拉圾上偶然開朵鮮花，
虬虫就在那上面亂爬。
道德賣弄着虛偽的臉，
時而伸頭在人間，雲端。

可憐這筆下沒有神彩，
因爲這不是神的世界。
投筆向窗外凝視雲天，
長天也只是黑暗一片。

一杯茶

你不必懷疑我說鬼話，
請先喝了這一杯清茶。
　這水裏雖無仙味，
但也能以使你微醉。

一杯茶

我想請上帝同你會談，
但怕他板起嚴肅的臉。
　他難於使你滿意，
因他無上天的雲梯。

你自然覺得撒旦可怕，
因爲他不容你在月下：
　悄悄向菊花訴情，
靜靜看晶瑩的繁星。

至於古代殉道的英雄，
你更怕他們那幅心胸；
他們既不怕雷雨，
更喜斷頭台的悲劇。

你常想乘着日車翱翔，
忘記了這人生的黑牆，
倘你是明白的人，
就該知天高與海深。

縱然是一株草，一粒沙，
也免不了風吹與霜打；
　自然被命運主宰，
你難再爲落花增彩。

秋虫正爲你及時歌唱，
銹的金鋼石還在發光，
　你既見到了夜蕊，
也見了快樂的百靈。

世紀的臉

在人間有萬千的把戲，
難道沒一件使你發迷？
　倘從月看出太陽，
從死屍，就看到歡暢。

我說，傻子，你不必發呆，
把眼凝視窗外的雲彩。
　待月落雲散時候，
天空只餘一片慘愁。

86

茶杯一

現在你正認眞的默想，
默想明日的一天紅光。
那是愛，是神的彩，
但嬌花也爲他殘敗。

我並不將你引進地獄，
因你不懂那里的喜劇。
人生如一隻飛蛾，
死就在她翅上高歌。

世紀的臉

你常被美的幻想戲弄，
不知她如妓女般無情；
　你躺在她的懷裏，
就如睡在濕的墓地。

你應抓住眼前的歡樂，
不要任它如電般閃過。
　因你難捉住春光，
秋色你也留不久長。

88

茶杯一

最好如詩人去愛名山，
在芳草清風之中睡眠。
醉時正落着丹楓，
醒來已點染出雪景。

總之，我也愛你的幻想，
因幻想裏有美的天堂。
但血肉不能飛起，
如何能同彩雲相比？

世紀的臉

今天，你我雖相對談心，
到明天就許一骨橫陳。
　倘你能痛快的玩，
何必怕那冷的黃泉！

時間正在荒沙裏奔爬，
秋風仍不放遍地落花。
　這清茶業已冰冷，
你還在隨烏雲發怔。

本想再爲你沽酒夜話，
聽秋神撥彈他的琵琶；
無奈你業已煩累，
不然，怎會雙眼噙淚？

謊

是人，那有血肉的動物，
踐踏着歡樂的影子，
咀嚼着生霉的魚刺，
像一頭曬太陽的懶猪，
做着各色奇異的夢。

流

那夢，似血一般殷紅，
夜一般黑，閃電一般快，
舞蹈在惡魔的掌心，
吐露着醜惡的聲音，
歡迎北風帶來了巨災。
他把月亮當作天燈，
將枯草看作了氈絨，
於是演起流血的故事：
以鮮血渲染着喜悅，
以白骨鑲嵌着宮闕。

世紀的臉

自古展着這瘋的巨翅，
在大地上亂闖亂飛，
直到在黑角裏殞墜。
把歷史塗成髒的畫布，
就因他張開了巨口，
任毒水不住的外流，
直至流得剩一架枯骨。
這還不算奇的行爲，
古來大詩人的神筆，
也難將他的怪事描繪：

94

謊

他摟抱着骷髏微笑，
與烏鴉及青蛙爭吵；
將金鋼石當作了炭灰，
把翡翠看作了苔銹。
至於那洪水的巨流，
及那冲天火山的黑煙，
他說是神靈的喜悅；
倘長蛇盤據了宮闕，
他又說卽是神的出現。
並且還向地獄誇張，

世紀的臉

說人間既沒有火湯，
餓鷲也是十分的慈祥；
在歡樂之園築起牆
壩，隔絕了一切哀傷；
最後敷粉死人的臉上，
就能得佛主的赦放，
仍舊能在下界遊唱。
直到命運將他們抓去，
他還睜着兩隻眼睛，
向愛神拉滿了巨弓，

96

謊

演了一齣最後的悲劇，
表示他壯野的身體，
在人間未遇着巨敵。
到最後他發一聲巨響，
（那就是歡樂的死亡）
撒下一個天大的謊，
他說他已走進了天堂！

藝術家的戀歌

只有我苦思於朦朧的月下，
枯老的藤蘿尙未發出新芽；
這顆飄泊之心失去了故家，
因我所愛的姑娘早已出嫁！

今夜，我預備撕碎這幅繪畫，
並且焚毀了我怒開的情花；
生命之蓓蕾殘了永不再發，
因我的所愛早已失了芳華！

送一九三二年

天！我屢屢的向你祈禱，
歡樂如落日的殘照，
結果都已被黑暗殘食，
苦痛仍然憑着巨翅。

途一九三二年

時間從荒沙奔跑無踪，
似一陣風沒有蹤影；
憂鬱却如空蒼的雲彩，
散了後還能夠再來。

我縱然像是一頭巨獅，
也不能將悲哀剝食。
長蛇永遠在向我乞血，
惡魔也不同我決絕。

世紀的臉

宇宙只是巨大的屠場，
　花朵也永顯着愁悵，
我伸手向着夕陽追趕，
　但只抓了一把黑暗！

又睜眼向着未來觀看，
　無論日月，河流，靑山，
仍與這夜色一般黑暗，
　不會有絲絲的改變。

途一九三二年

我顫抖的向夜神追問，
到明晨是否有歡欣？
他如一冷靜的哲學家，
只把眼注視着天涯。

何必再問那片片落梅，
她的芳心早已紛碎。
也不必問寒枝的烏鴉，
他嘴裏充滿了悲笳。

幾分鐘後就到了明年，
明年會比今年更慘？
案頭的骷髏向我示意，
說明朝充滿了歡喜。

於是爲往日掘個墳墓，
把一切埋入了黃土，
倘現在能有一杯好酒，
我就會展開了歌喉。

迄一九三二年

並抖盡了身上的悲絮，
將它都獻給了虫蛆；
歌讚一聲明日的朝霞，
眼淚似春雨般落下！

一陣風

你瞧，一陣風，遍地落花，
天梯下只是一片寒沙，
你不必一再向神招手，
他不能爲你挽住東流。
宇宙的一切都有靑春，
微虫，星辇又同有末運。

勿任悲思如一羣虫蛆，
任意將你的靈肉吮取。
看那萬古光耀的日月，
既無倦容也沒有悲絕。
他們辛苦的日夜旋轉，
不使這世界長久黑暗。
看，雲雀自由來往雲蒼，
並不覺得天高與地廣；
他展着無報酬的歌喉，
從不問時間是短，是久。

世紀的臉

人既非一磈石，一團泥，
怎能如長天無有盡期！
一朵薔薇剎那的微笑，
猶如海洋萬古的長嘯。
憑着你，這世界的主宰，
宇宙就常常改變顏色。
大地上到處都是天堂，
天堂裏也少不了愁悵。
縱你滿頭洒遍了血水，
也應把它當一場大醉。

一陣風

夢的影子就如同夜色，
朝霞終於會給你光澤。
你應該永久睜着傻眼，
旣看丁香，臘梅的凋殘，
也見了神與魔的把戲，
就不必再發什麼唏噓；
天無邊大，地也是無涯，
到處都爲你開着香花。
倘一粒沙就是個世界，
一聲夜鶯更令人叫絕。

至於說你演夠了悲劇，
但你還未唱一闋神曲。
要知譏笑雖充滿面前，
繁星仍舊高懸在青天。
你只管拿着朝霞敷臉，
對於命運驕傲的長嘆：
「向一切我收回了感激，
天神還不如腥臭的泥。」
然後再孤立山頭狂笑，
你就知這宇宙的渺小；

待你的歌音響徹青天，
你已似一縷輕煙消散。
以後那不値錢的毀譽，
不如墓頭小鳥的歌曲；
至於那些墳上的花圈，
何如在生前孤把一盞？
嗟呼，人生，似一隻蝸牛，
你能夠度過幾個春秋？
天梯下還不是片寒沙，
你瞧，一陣風遍地落花！

霧

像死人臉上慘白的面紗，
從這座古城遮蓋到天涯。
我伸手盲目的獨自摸索，
只一把灰煙在神的脚下。

霧

似萬壑山澗緩緩的流水，
惡的夢魅正結伴着人類
在長蛇的舌尖之上飛舞，
待醒來時肉身已成燼灰。

就在這暗霧的時代之濤，
地球似野獸正張着血口，
將血肉與骷髏一齊吞下，
縱美女也不會留下餘愁。

世紀的臉

滿眼是時間灰色的翅膀，
歡樂只在枯枝以上張望。
想春神長住在這個世界，
除非將生命在春天埋葬。

114

泰山春夜

立在懸崖，聽萬谷夜風
的呻吟，像山神的心中
蘊藏着的久遠的隱恨，
像長年展轉病榻的人，
藉着沈默的黑夜低訴

經了一世風霜的辛苦。
夕陽去時，懺悔的寺鐘
懷着披髮少女的傷痛，
向天帝低首，並虔誠的
撫摸着心間愛之遺跡。
宇宙是如此平靜，清澗，
山岩，林木和那些村落
都已跟隨着夕陽入夢。
只我在懸崖從月光中
看遠處漁火點點，慢慢

泰山春夜

那光隨着漁夫的哀嘆
消失在暗霧。一陣煙雲
從脚下升起，一層一層，
陡然隱埋了整個山林。
世界漸漸渺小，啊，只賸
一顆心，一隻手，顫戰的
仰視黑夜，靜聽那冷森
地獄或高的天庭之神
的吩咐。雖然還在星宿
之下，不費一點點煙火

不問卜，但未來的命數
就訴出稀有的神音，像
天一般高，石一般的堅，
給我了一陣苦的思想，
如一支毒箭投射心間！
「神之子呀！」
我陡然高呼，
一種哀憐，似失了道路，
想皈依到光輝的神壇，
因那烏鴉之嘴的可慘，

泰山春夜

比命運更覺十分可怕。
所以，我帶來一束鮮花，
特爲獻給至尊的天神，
未料它已從手中凋零。
因此，我就得更加鎮靜，
希望還未央的夜展伸
牠的翅翼，就如同悲哀
永遠佔據着我的骨骸。
現在，立在萬仞的山巔，
看夜的黑翅不住飛閃，

世紀的臉

只待悲哀在石上生芽，
流星之苦淚從天降下！
但正在這哀思的時辰，
不知是我倦怠的足音，
還是古林鳥語的夢囈，
給了我一股震驚嘆息：
『這里曾經有多少遊人，
這里曾經有多少芳春，
誰曾抓住了春的顏色，
當作生命永久的光澤？』

泰山春夜

這樣的我重複着背誦，
心痛就如山一般沈重，
於是我抱住岩峯痛哭，
使這座山變成了悲苦；
它比我有較久的歲月，
經過春秋它懷着悽絕
的心，迎那求歡樂的人，
使他們知道天高，海深！
斯時，天上冷的西弦月，
似懷抱着寂寞的喜悅，

世紀的臉

我再三向她伸出雙手，
只摸着一把風的悲愁。
我正要向她發出哀怨，
忽然見東海血紅一片，
莊嚴，雄偉，那紅的太陽
正與那夜魔鬥爭，比量。
那巨靈，
　　比雄獅還勇猛，
忽然下去，忽然向上衝！
那是一場生死的鬥爭，

桑山春夜

自尊也是宇宙的光榮。
看呀，看他滿頭的血水，
縱千萬血鬼無數的嘴
也難飲淨！結果，從徹天
的紅光，在不死的火焰，
太陽昇上光明的寶座，
一種嚴肅，深奧的巨火
驚醒我如枯枝的再生，
我抖擻悲哀有如落英
從花枝上飄飄的落下，

世紀的臉

有如夏雨驟然的傾洒！
我懷着人的喜悅，微笑，
向東天發出一聲長嘯，
一聲歡呼；然後脚踏悲
哀之石一層層的下墜，
直到我又重回了人間；
囘首，只見白茫茫一片
中，一座山在無限莊嚴
裏，燃燒着聖潔的火焰！

人間之春

陽光在樹枝與平沙伸足，
並點染你彎娟的眉峯，
憂鬱突然的飛逝雲中，
春來了，在心中蕩來蕩去。

生活

生活像滿蔽苔蘚的巨石，
縱是神也不能轉動，療治。
你休再生什麼妄想，
生命永不會生出巨翅。

世紀的臉

雲的翔，鳥的飛，那些自由
都是自然的賦予。但狂流
經了年月也會乾枯，
人由壯年也會到老瘦。

不如你對旭日發聲長嘯，
對夕陽的傾沒不要焦燥，
從一粒沙看到世界，
從死屍看出神的微笑。

生活

待你的魂蹤入大的宇宙，
吸取天庭花的香，美的酒，
　看人世舞台的嚴肅，
你，你就再也不想逃走。

但，你又難挽住生命的背，
她如一片雲終於會消頹，
　守着你長醒的春天，
不要再向神祈求，門者。

世紀的臉

現在，你已將生之石雕琢
得圓潤，像一團火已燒着
光焰，你還要痛哭麼？
神也難拯救你這大錯！

130

夜步

黑夜，陰雲鎖閉住天空，
烏鴉，貓頭鷹均已入夢，
只有我徘徊在街心，
默數足下魔鬼的呻吟。

世紀的臉

荒涼正展翅酣舞歌詠，
地上已沒了流螢，爬虫，
　我雙手緊握住恐怖，
任時間在散髮上飛舞。

街燈忍不住它的淒零，
像寒星般正落着淚晶；
　我伸手抓住了咀咒，
（那被關街門外的幸福）

向它索回人間的平靜，
但它以沈默將我玩弄！
　我慘然笑了，這一街
惡夢啊，即人世的浩刼！

盲童

在道旁，我正負着苦悶閒蕩，
黃昏慢慢落於烏鴉的背上。
風沙裏，一隻駱駝，一頭牛，
負着重載緩緩的過去了。

盲童

醉漢，老丐，各自踉蹌的行走，
像是黑夜偕恐怖向前奔流。
忽然幾個盲童摸過，臉上
掛着微笑，嘴裏充滿詠歌。

他們心幕上不曾染上夜色，
太陽也不能傳給他們災害，
盲目給他們一切的幸福，
只風雪帶來可咒的冰冷。

煩惱在我心裏漸漸的殘凋，
於是，我欣然的回家，脚步嘲
笑着來時的模糊的足跡，
坐在庭院看那一天明星。

秋晨

別了，星霜漫天的黑夜，
我受了聖水難洗的苦孽，
你方從我的背上踏過，
歡迎啊，東曙，你又已復活！

世紀的臉

在這最後的瞬間，我睜眼，
雙手抱住太陽的脚，看
葉顫，花舞，聽市聲的沈醉，
直到落下歡欣的眼淚！

冬

秋挾着落葉與殘紅飛逝，
留下赤裸的寒林在沈思，
它像一個蒼老的哲學家，
寂然回憶其青春的年華。
在冬的懷中一切在默然，

世紀的臉

夕陽怯怯的顫泣於天邊，
像被命運所驅趕的蕩子，
尚戀戀難於割舍的末日。
那老鴉也不如往日高興，
只在枯枝上呆做着殘夢，
待片片暗雲從頭上馳過，
他的心仍然像古井無波。
滿天的羣星雖睁着巨眼，
(如嬰兒癡望母親的笑顏)
但他們看不見一株花草，

冬

只聽着夜鶯在空着飛叫。
至於那明月孤泛在長空，
從千古她那蒼白的面容，
（如一個喪了情郎的少婦）
像在追求着失去的幸福。
在星月寒霜足下的一切，
像一株衰草，似一片敗葉，
於枯澀寒峻的懸崖之上，
粉飾着人世夢境的淒涼。
經過了長夜，

姍姍的朝陽，
像一個羞慚的少女，將光
與熱深隱在自巳的胸中，
他現在比夏天更受歡迎，
但是他較往常也最慳吝，
似被熱愛的倨傲的情人。
在中午，人們在廣場談天，
尤其是老年人談到當年，
那歡暢就變作一陣悲酸，
青春就像面前那一片煙。

冬

孩童們也不如春天活潑，
尤其在夜晚時間似駱駝
一樣慢，他們更覺着難堪；
豈如在春天看那一片閃，
一聲雷，一條彩虹在天邊，
有神工莫測的奇異幻變？
現在，寂冷正
封鎖着四郊，
在萬物的心中悶着咆哮，
咒詛，暗恨着冬神的不仁，

帶來了恐怖，哀思與不寧。
但是多還正在板着冷臉，
將眼睛望着城市與山岩，
使寒風，雪花，恣意的吹飄，
好像神仙般在各處逍遙，
在他的爪下那腐朽，不堅
的萬物被撕成一片一片，
(像罪人被趕到施刑之場)
又將那殘骸隨寒風吹蕩。
，

將穢垢，破敗的人間遮掩，
只待他一聲微笑，陽春就
像天使又到了人間遨遊。
吁嗟乎，偉大的冬天，鐵般
的意志，將使你分外燦爛！
雖然你沒有奇花作妝飾，
（你最恨那些虛榮的矯飾）
雖然你懷中無好鳥鳴春，
（你最惡那種蕩子的巧淫！）
但你有一棵嚴肅的血心，

獨自吐放着神奇的清芬。
你的冷靜
　　涵育着最深的
思想，像樹根深入於大地；
你參透萬理，以沈默表現
給萬物，使哲人對你艷羡，
敬畏，如對那莊嚴的天神，
超越了個人長久的自尊。
冬啊，（恕我不自禁的呼叫，
知道我不配與怎樣渺小！）

冬

你有着永恆偉大的權柄，
你有着一棵嚴肅的靈魂，
那落葉，殘紅，烏鴉與人類，
在你掌中好像是一滴水，
來無聲，去無跡，倏然投滴
在塵土，都已變成了青泥！
至於你懷中撫育的春天，
她雖然將顯一時的嬌艷，
豈不像人生待喝盡滿杯，
（是一杯酸，甜苦辣的血水。）

世紀的臉

就變了顏色，悄悄的臥下，
將一切擲在背後的天涯？
冬啊，告訴我，你如何得來
這神力與這莊邁的氣概？
請駐足，讓我聽你的神音，
點化了我心中深的隱恨！

一九三四年六月初版

世紀的臉　定價五角

著者　于賡虞

發行人　李志雲

發行者　北新書局

上海四馬路中市

總發行所　北新書局

電報掛號二一六三號

北平南京開封武漢雲南溫州

分發行所　北新書局

成都廣州重慶廈門汕頭濟南